LOS GRANDES PASOS DE PAPÁ

Coordinación de la colección: Mariana Mendía
Cuidado de la edición: Ariadne Ortega González
Diseño y formación: Javier Morales Soto
Traducción: Mariana Mendía
Ilustraciones: Aurélie Guillerey
Texto: Nadine Brun-Cosme

Los grandes pasos de papá

Título original en francés: ***Papa à grands pas***

Primera edición: noviembre de 2016

Insurgentes Sur 1886. Col. Florida.
Del. Álvaro Obregón.
C.P. 01030, México, D.F.

Ediciones Castillo forma parte del Grupo Macmillan.

www.grupomacmillan.com
www.edicionescastillo.com
infocastillo@grupomacmillan.com
Lada sin costo: 01 800 536 1777

Miembro de la Cámara Nacional de la Industria Editorial Mexicana.
Registro núm. 3304

ISBN: 978-607-621-638-5

Impreso en México/*Printed in Mexico*

LOS GRANDES PASOS DE PAPÁ

NADINE BRUN-COSME

Ilustraciones de AURÉLIE GUILLEREY

CASTILLO DE LA LECTURA

Esta mañana, al viejo coche verde de papá le cuesta trabajo arrancar. Parece como si tuviera hipo.

Cuando por fin logra avanzar, ¡listo!,
lleva rápido a Mateo a la escuela.

—Nos vemos por la tarde —se despide papá mientras le da un gran beso a Mateo.

—¡Papá, espera! —pide Mateo—. ¿Y si esta tarde el coche tampoco quiere arrancar?

Papá duda un poco:

–Si el coche no quiere arrancar...

—Vendré por ti con el tractor rojo del vecino.

—¿Y si el tractor rojo está muy cansado?
—pregunta Mateo.

—Entonces, le silbaré a Martín, el perezoso peluche que duerme bajo tu cobija. Él me traerá hasta ti a cuestas —contesta papá.

—¿Y si Martín no te oye porque está dormido bajo la cobija?

—Entonces les pediré a todos los pájaros que encuentre en nuestro jardín que me traigan por los aires hasta ti —responde papá.

—¿Y si los pájaros están cuidando a sus polluelos? —cuestiona Mateo.

—Llamaré al vecino que todos los días riega el pasto para que abra la manguera y forme un arroyo. Después, treparé en tu barquito y navegaré hasta ti.

—Pero... ¿y si el vecino no quiere prestarte su agua?

—Pues, entonces, les pediré a los conejos que viven en nuestro jardín que me deslicen en sus túneles hasta llegar a tu escuela —contesta papá.

—¿Y si los conejos fueron a visitar a su abuelita y no pueden ayudarte? —quiere saber Mateo.

—Llamaré al dragón verde que sopla en nuestra chimenea cuando hace frío y... ¡en un dos por tres me traerá volando!

—¿Y si el dragón verde está de cacería?

—¡Ah! Pues si el tractor está cansado, si Martín duerme bajo la cobija, si los pájaros están cuidando a sus polluelos, si el vecino no quiere prestarme su agua, si los conejos fueron a visitar a su abuelita y si el dragón verde está de cacería, entonces...

—Simplemente utilizaré mis piernas, pues para venir a buscarte siempre bastarán los grandes pasos de papá.

Impreso en los talleres de
Editorial Impresora Apolo, S.A. de C.V.
Centeno, 150-6. Col. Granjas Esmeralda.
Del. Iztapalapa. C.P. 09810, México D.F.
Noviembre de 2016.